GILDO É MUITO CORAJOSO.

ELE ADORA MONTANHA-RUSSA GIGANTE,
DAQUELAS DE PERDER O FÔLEGO.

4

6

NÃO PERDE UM FILME DE TERROR,
SEJA DE FANTASMA, MÚMIA OU VAMPIRO.

GOSTA MUITO DE SE APRESENTAR EM PÚBLICO.

GILDO CONSEGUE ATÉ TROCAR
A FRALDA FEDIDA DE SUA IRMÃ LAURINHA.

MAS, COMO ACONTECE
COM MUITA GENTE,
EXISTE UMA COISA
QUE O DEIXA APAVORADO.

GILDO TEM MEDO DE...

... BEXIGAS!

DAQUELAS LINDAS E COLORIDAS QUE
USAMOS PARA ENFEITAR AS FESTAS.
PARA GILDO, ISSO É MOTIVO
DE PERDER O SONO.
EM TODA FESTA DE ANIVERSÁRIO
É A MESMA COISA: NA NOITE ANTERIOR,
GILDO NÃO CONSEGUE PREGAR OS OLHOS.

NA FESTA, GOSTA MUITO DA FOLIA
COM OS AMIGOS.

MAS, DEPOIS DE CANTAR PARABÉNS,
ELE JÁ SABE: É HORA DE SE ESCONDER,
POIS AS BEXIGAS VÃO SER DISTRIBUÍDAS.

UM BELO DIA, GILDO FOI À FESTA DO PAULO,
E UMA COISA ATERRORIZANTE ACONTECEU.
ELE ESTAVA DISTRAÍDO, QUANDO A MÃE DO
ANIVERSARIANTE, COM A MELHOR DAS INTENÇÕES,
AMARROU EM SEU BRAÇO UM CORDÃO COM UMA BEXIGA!

AI, NÃO!

GILDO, DESESPERADO, TENTOU ARRANCAR O CORDÃO, MAS A MÃE DO PAULO ERA ÓTIMA EM DAR NÓS.

DEVIA SER MARINHEIRA.

ELE PRECISOU IR EMBORA COM A BEXIGA,
OS DOIS JUNTINHOS.
FOI UM LONGO CAMINHO DE VOLTA...

ASSIM QUE ENTROU EM CASA,
FOI LOGO QUERENDO SE LIVRAR DELA.
MAS AS BEXIGAS SÃO TÃO TEIMOSAS!

FORAM VÁRIAS TENTATIVAS. FAZIA MEIA HORA
QUE ELE A EMPURRAVA DE UM LADO PARA OUTRO,
QUANDO, DE REPENTE, PERCEBEU QUE NÃO
SENTIA MAIS TANTO MEDO. SÓ UM POUQUINHO...

HEHEHE!

COM MUITO CUIDADO,
BRINCOU MAIS UM POUQUINHO.

À NOITE, CANSADO,
SORRIU PARA ELA E DORMIU.

NO DIA SEGUINTE, ELE PUXOU O CORDÃO
E TEVE UMA SURPRESA:
SUA BEXIGA ESTAVA MURCHINHA, MURCHINHA.
GILDO FICOU TRISTE, MAS SÓ UM POUQUINHO.

AINDA CHATEADO, GILDO FOI PARA A ESCOLA.
ASSIM QUE A PROFESSORA ENTROU NA CLASSE, COMEÇOU A DISTRIBUIR
VÁRIOS PAPEIZINHOS. OS AMIGOS PARECIAM BEM ANIMADOS.

ERA UM CONVITE PARA O ANIVERSÁRIO DA VERINHA,
QUE SERIA NO PRÓXIMO SÁBADO.
E AGORA? SERÁ QUE GILDO VAI DORMIR NA NOITE DE SEXTA-FEIRA?

BOM, TALVEZ SÓ UM POUQUINHO...

MEU NOME É SILVANA RANDO. NASCI EM SOROCABA, INTERIOR DE
SÃO PAULO. HOJE MORO NA CAPITAL COM MEU MARIDO, MINHA
FILHA, MEUS DOIS GATOS, MEU CACHORRO E MEU PÉ DE LARANJA.
DESDE CRIANÇA GOSTO DE ANIMAIS E DE INVENTAR HISTÓRIAS
COM DESENHOS E PALAVRAS. TRABALHO COMO ILUSTRADORA
HÁ QUATRO ANOS, E ESTE É O SEGUNDO LIVRO QUE ESCREVO
PELA BRINQUE-BOOK, O PRIMEIRO SE CHAMA *PEPPA* E CONTA A
HISTÓRIA DE UMA GAROTA QUE TEM O CABELO MAIS FORTE DO
MUNDO. DESTA VEZ, RESOLVI CONTAR A HISTÓRIA DO GILDO.
ELE É BASTANTE CORAJOSO, MAS TEM UMA COISA QUE O DEIXA
APAVORADO. EU TENHO MEDO DE ALTURA, DE FILME DE TERROR E
DE QUE GRITEM COMIGO. E VOCÊ? TEM MEDO DE ALGUMA COISA?

GILDO

SILVANA RANDO

13ª REIMPRESSÃO

BRINQUE·BOOK

DEDICO ESTE LIVRO PARA MINHA FILHA VERÔNICA
E PARA TODOS AQUELES QUE UM DIA JÁ SENTIRAM MEDO.

COPYRIGHT DO TEXTO E DAS ILUSTRAÇÕES © SILVANA RANDO, 2010.
TODOS OS DIREITOS RESERVADOS.

REVISÃO: FÁTIMA COUTO E LILIAN JENKINO
DIAGRAMAÇÃO: MAURICIO NISI GONÇALVES
IMPRESSÃO: RETTEC

REIMPRESSO EM JUNHO DE 2016

DIREITOS RESERVADOS PARA TODO O TERRITÓRIO NACIONAL PELA
BRINQUE-BOOK EDITORA DE LIVROS LTDA.
RUA MOURATO COELHO, 1215 – VILA MADALENA – CEP: 05417-012
SÃO PAULO – SP – BRASIL – TEL./FAX: (11) 3032-6436
WWW.BRINQUEBOOK.COM.BR - BRINQUEBOOK@BRINQUEBOOK.COM.BR

CIP-BRASIL. CATALOGAÇÃO-NA-FONTE
SINDICATO NACIONAL DOS EDITORES DE LIVROS, RJ

R152G

RANDO, SILVANA
    GILDO / TEXTO E ILUSTRAÇÕES DE SILVANA RANDO. 1.ED. -
SÃO PAULO : BRINQUE-BOOK, 2010.
    IL.

    ISBN 978-85-7412-320-2

    1. LITERATURA INFANTOJUVENIL BRASILEIRA. I. TÍTULO.

10-4604.   CDD: 028.5
                                                     CDU: 087.5
13.09.10   23.09.10   021601